JN225811

そだてる
かんさつ
まとめる

めざせ! やさい名人

監修：河村 亮（三和農園）　指導：加藤真奈美（学習院初等科教諭）・長代 大（学習院初等科教諭）

❶ ミニトマト

小峰書店

この本を読む　みなさんへ

みなさんは、やさいを　そだてたことが　ありますか？　小さなたねや　なえから、だんだんと大きくなっていく　やさいを見るのは、とても楽しいものです。そして、自分でそだてた　やさいを食べると、いつもより　もっとおいしく　かんじられます。どうしてだと思いますか？　それは、みなさんが　そだてるために　がんばった時間や　きもちが、やさいのあじに　くわわるからなんです。

この本では、やさいを　そだてるときのコツやポイント、かんさつや、かんさつしたことを　まとめるほうほうを　しゃしんと絵をつかって　わかりやすく　しょうかいしています。やさいは、しゅるいによって　ちがう形を　していたり、はっぱや花のようすが　ちがったりします。よくかんさつすると、「こんなふうになっているんだ！」という　新しいはっけんが　たくさんありますよ。

ぜひ、この本を　さんこうにして、いろいろなやさいを　そだててみてください。自分でそだてたやさいは、とくべつです。楽しくそだてて、食べて、やさいのことをもっと　すきになってくださいね！

河村　亮（三和農園）

この本に出てくるのは…

カワムラさん

やさいづくりのプロ。ミニトマトのほかにも、いろいろなやさいを　つくっている。

シオリさん

生きものを　そだてたり、かんさつしたりするのが　大すきな小学２年生。

リンさん

おいしいものが　大すきな小学２年生。もちろん　やさいも大すき！

もくじ

どうがの見かた

この本のQRコードを タブレットやスマートフォンのカメラで読みこむと、インターネットで どうがを見ることが できます。

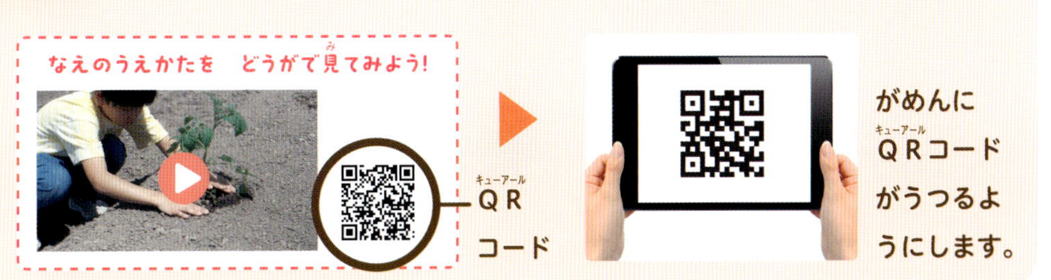

なえのうえかたを どうがで見てみよう!
QRコード
がめんにQRコードがうつるようにします。

さいばいとかんさつ

さいばい に　つかうもの

ミニトマトを　そだてるとき、どんな　ものが　ひつようかな？

ミニトマトの　なえ

なえは、たねから　めが　出たあと、少しそだてたもの。

ジョウロ

やさいに　水をやる　どうぐ。

シャベル（スコップ）

土をほる　どうぐ。

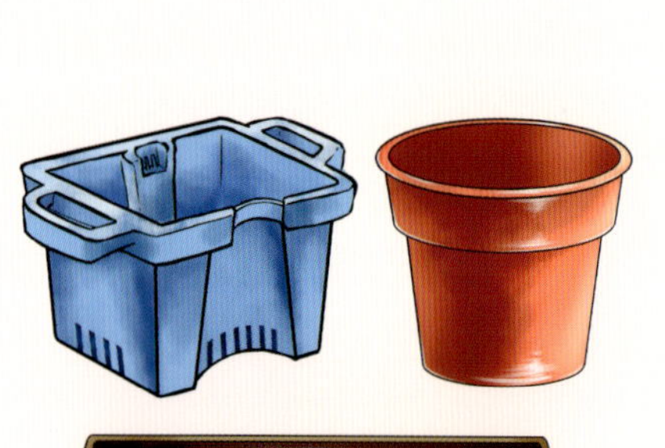

プランターや うえきばち

やさいを　そだてるときに　つかう　入れもの。

ひも

やさいと　しちゅうを　むすぶときに　つかう。テープを　つかっても　よい。

土（ばいよう土）

ひりょうを　まぜた土を　ばいよう土という。

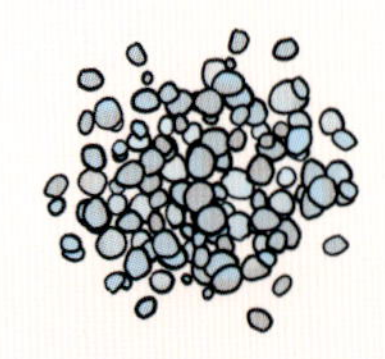

ひりょう

やさいのえいようになる。

しちゅう

やさいが　たおれないように　ささえる　ぼう。
ミニトマトを　そだてるときは、1～2m　くらいのものを　よういするとよい。

の　じゅんびを　しよう

さいばい　するときの　ちゅうい

ミニトマトを　せわするとき、どんな　ことに　気をつければ　いいかな？

うごきやすい　ふくを　きて、ぼうしを　かぶろう

日ざしが　強いときは、ぼうしを　かぶろう。
はだが　弱い人は、てぶくろを　つけよう。

毎日、わすれないで　水を　やろう

午前中に、水を　たっぷり　やろう。

やさいのせわを　したら、手を　あらおう

せっけんを　つかって、しっかり　あらおう。

わからないことは、くわしい人に　聞いたり、しらべたりしよう

本やインターネットでも　しらべてみよう。

かんさつ に つかうもの

ミニトマトを　かんさつするとき、どんな　ものが　ひつようかな？

ものさし、メジャー

くきの高さや　はっぱの大きさを
はかるときに　つかう。

ひっきようぐ

文や絵で　かんさつしたことを
きろくするときに　つかう。絵は、
色えんぴつや　クレヨンを　つかって
はっぱや花の色が　わかるようにする。

虫めがね

はっぱや花のようすを
大きくして　見ることが
できる。

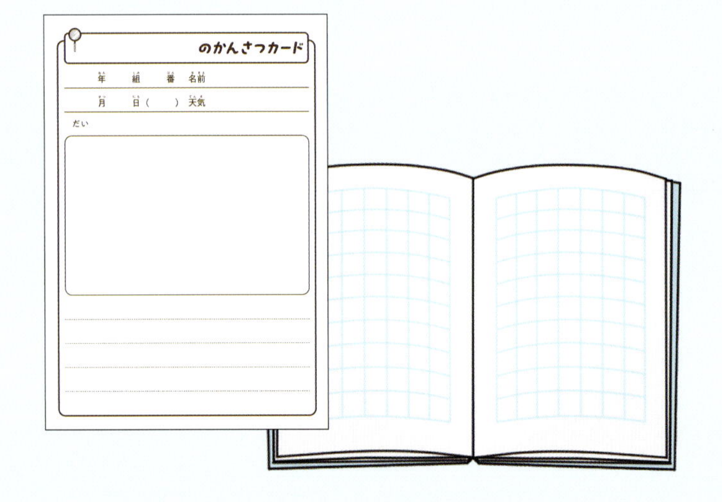
のかんさつカード
年　組　番　名前
月　日（　）　天気
だい

かんさつカード、ノート

かんさつして　わかったことを　かいておく。
かんさつカードは、この本のさいごの
ページを　コピーして　つかおう。

タブレットたんまつ

やさいの　しゃしんを　とったり、
気づいたことを　ろくおんしたり
して、きろくする。

かんさつのときに　すること

ミニトマトを　かんさつするとき、どんな　ことを　すれば　いいかな？

見る

いろいろな　ほうこうから　見てみよう。
はっぱや花は、何色かな？　どんな　形を　しているかな？　数も　数えてみよう。

さわる

さわると、どんな　かんじかな？　すべすべ？
ざらざら？　太さや　あつさは、どうかな？
おもてと　うらで　ちがうかどうかも　しらべよう。

かぐ

どんな　においが　するかな？
においは、何に　にているかな？

はかる

大きさや長さは、どのくらいかな？
同じくらいのものは、ほかに　あるかな？

かんさつメモを　つくろう

かんさつするときは、右のようなメモに、気がついたことを　かいておきましょう。

	月　日	
見る	色と形	
さわる	さわったかんじ	
かぐ	におい	
はかる	大きさと長さ	
きもち	かんじたこと 考えたこと	

ミニトマトを そだてよう!

はじめに、ミニトマトのことを　しらべてみましょう。

ミニトマトは どんな やさい?

　ミニトマトは、あたたかいところで生まれた　やさいです。
だから、あたたかいきせつに　よく　そだちます。
　わたしたちが　食べるのは、ミニトマトの　みです。
みは、あまずっぱくて、火を通さなくても、
そのまま食べることが　できます。

へたが　ついているよ。

つやつやして赤いよ。
小さくて丸いよ。

ふつうのトマトより
小さいものを
ミニトマトって
いうんだよ。

みの大きさ
3cmくらい

みを よこに切ったところ

へや
へや
ゼリーのような もの
たね

ミニトマトの みの中は、ふたつの へやに 分かれています。
へやには、ゼリーのような ものと、小さなたねが つまっています。

いろいろな ミニトマト

黄色や みどりの ミニトマトのほかに、細長いミニトマトも ある。

ミニトマトのなかま

みんな「ナス科」という しょくぶつの なかま です。

ナス
ジャガイモ
ピーマン

ミニトマトを そだてよう!

さいばい スタート

なえを うえよう!

ミニトマトのなえを はたけやプランターに うえましょう。
ねっこが よくのびて、元気にそだちます。

なえのうえかた

① はじめに、ポットに入った なえに 水を たっぷり やる。

② なえが 入る大きさの あなを ほって、そのあなに 水を たっぷり やる。

③ なえを ポットから そっと 出して、あなに うえる。

くきを ゆびで はさむ。

④ なえから 少しはなれたところに しちゅうを 立てる。

しちゅう

8cmくらいはなして立てる。

⑤ しちゅうと なえを ひもで むすぶ。

ひもが「8」の字になるように むすぶ。

なえのうえかたを どうがで見てみよう!

しちゅうを 立てるときは、なえのねっこを きずつけないように気をつけよう。

⑥ 水を　ねもとにかけるように　たっぷり　やる。
なえのせは、
25cmくらい
だったよ。

かんさつ名人になろう！

見る

はっぱは、どんな　色や形をしているかな？　はっぱは、なんまい　あるかな？

さわる

はっぱや　くきを　さわると、どんな　かんじかな？

かぐ

はっぱは、どんな　においが　するかな？

はかる

なえのせは、どのくらいの　高さかな？　はっぱの大きさも　はかってみよう。

かんさつ名人になろう!

かんさつしたことを　かこう！

1 気づいたことを　ことばにしよう

どんな　ようすか、どれくらいかを　あらわすことばを　つかってみる

はっぱや　くきは、どんな　色か、どんな　形を　しているか、大きさや高さや数は、どれくらいかを　かんさつして、ことばにしてみましょう。

どんな　ようすか、どれくらいかを
あらわすことばの　れい

- みどり色
- とがった
- 小さい

はっぱも　くきも、みどり色をしているね。
はっぱは、先が　とがった形をしているよ。

ようすをあらわすことばを　つかってみる

「ちくちく」や「ふわふわ」のように、ようすを　あらわすことばを　つかってみましょう。

ようすを　あらわす
ことばの　れい

- ざらざら
- ぎざぎざ

はっぱを　さわると、ざらざらしているよ。

にているものを　さがしてみる

色や高さを　ほかのものとくらべて　あらわしたり、にているものを　さがしてたとえを　つかったりしてみましょう。

ほかのものとくらべて
あらわすことばの
れい

- ○○よりも
- ○○くらい

たとえを　つかって
あらわすことばの
れい

- ○○のような
- ○○みたいな

2 絵を　かいてみよう

かんさつしたことを　ことばであらわすだけでなく、絵もかくと、もっとわかりやすく　つたえることが　できます。

絵をかくときは、ぜんたいが　わかるように　かくほうほうと、ひとつのぶぶんを大きくかくほうほうが　あります。

自分が　いちばん　つたえたいことがわかるように、かいてみましょう。

なえの　ぜんたいを　かくと、どんな　形を　しているかが　わかる。

よく見ると…

はっぱだけを　大きくかくと、はっぱのようすが　くわしく　わかる。

3 かんさつカードを　かいてみよう

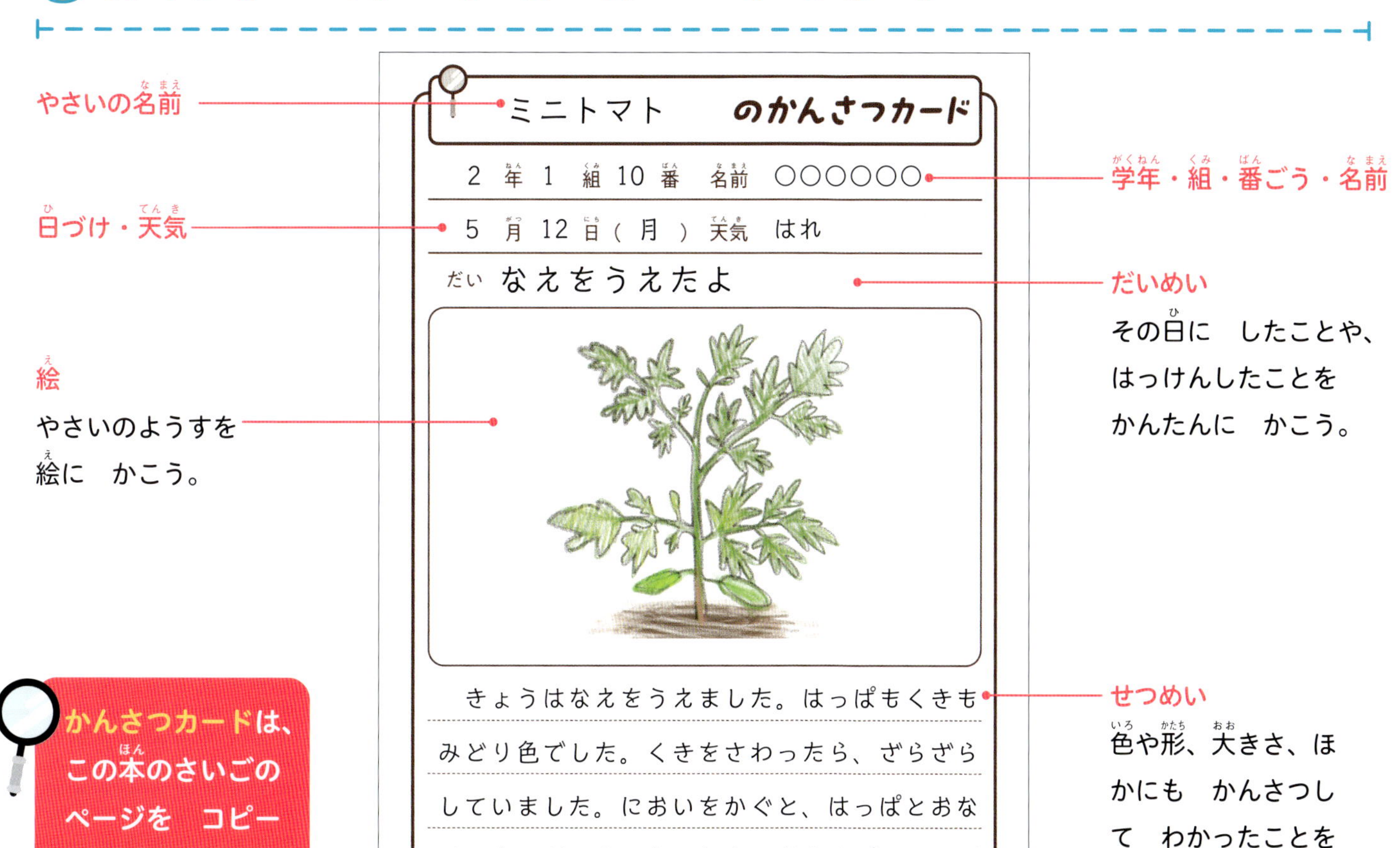
ミニトマト　のかんさつカード
2 年 1 組 10 番　名前　○○○○○○
5 月 12 日（月）天気　はれ
だい　なえをうえたよ
きょうはなえをうえました。はっぱもくきもみどり色でした。くきをさわったら、ざらざらしていました。においをかぐと、はっぱとおなじにおいがしました。なえの高さはぼくのひざくらいでした。元気にそだってほしいです。
やさいの名前
日づけ・天気
絵
やさいのようすを絵に　かこう。
学年・組・番ごう・名前
だいめい
その日に　したことや、はっけんしたことを　かんたんに　かこう。
せつめい
色や形、大きさ、ほかにも　かんさつして　わかったことを　かこう。

かんさつカードは、この本のさいごのページを　コピーして　つかいましょう。

ミニトマトを　そだてよう！

さいばい2週め～

はっぱが ふえたよ！

ミニトマトのせが　のびて、はっぱが ふえました。わきめも　出てくるので、とっておきましょう。

わきめのとりかた

わきめは、くきと　はっぱのつけねの間から出る　小さな　めです。見つけたら、ゆびでつまんで　ポキッと おりましょう。

わきめ

ひとさしゆびと　おやゆびで　つまむ。

わきめのとりかたを　どうがで見てみよう！

わきめが　そだつと
はっぱが　ふえる。ミニトマトは、はっぱが　ふえすぎると、
びょうきに　なりやすい。
だから、わきめを
とるんだよ。

わきめは、どこから出ている？
くき
わきめ
はっぱのつけね
ちっちゃな
わきめを
見つけたよ！

かんさつ名人になろう！

見る
わきめは、どこに　あるかな？　いくつ　あるかも　数えてみよう。

さわる
わきめを　さわると、どんな　かんじが　するかな？

かぐ
わきめに　においは、あるのかな？

はかる
せは、どのくらい高くなったかな？　わきめの大きさも　はかってみよう。

ミニトマトを そだてよう!

さいばい 3週め〜

花が さいたよ!

ミニトマトの花が さきました。花が かれたあと みが できるように、じゅふんさせましょう。

じゅふんのしかた

おしべの花ふんが めしべにつくことを じゅふんといいます。ミニトマトは、風がふいたときや、虫が来たときに、じゅふんします。

でも、虫が あまり来ないときは、花のつけねをそっとはじいて、じゅふんさせましょう。

ミニトマトの花を 半分に切ったところ

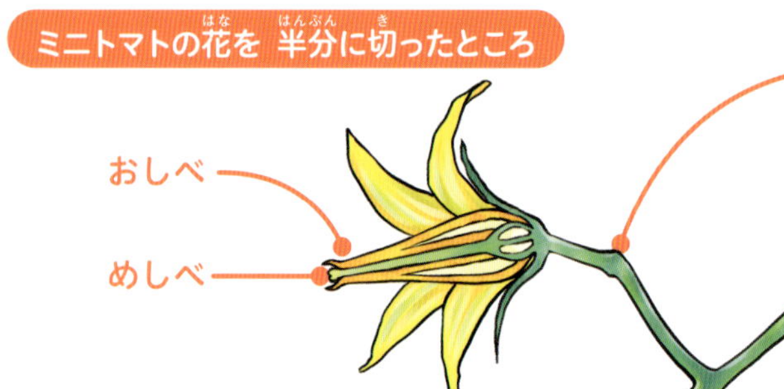
おしべ
めしべ

花のつけねを ゆびで そっと はじく。

じゅふんのしかたを どうがで見てみよう!

かんさつ名人になろう！
見る
花は、何色で、形は、何ににているかな？　花の数や花びらの数も　数えてみよう。
さわる
花をさわると、どんなかんじが　するかな？
かぐ
花は、どんなにおいが　するかな？
はかる
花の大きさは、どのくらいかな？

みは、赤いけど、花は、黄色なんだね。

花は、どうかわるかな？

つぼみ → 花 → 花が　かれたあと

ミニトマトを そだてよう！

さいばい5週め～

みができたよ！

花が かれたあと、小さくて丸い みができました。みが 大きく 赤くなったら、しゅうかくしましょう。

みは、どうかわるかな？
太いくき

みは、まん中の太いくきに近い上のほうから 赤くなる。

しゅうかくのしかた

みの つけねには、こぶのように ふくらんでいるところが あります。そこを はさみで 切りましょう。ゆびで ひねっても、みを とることができます。

ふくらんでいるところを 切る。

しゅうかくのしかたを どうがで見てみよう！

みが ぜんたいに まっかになったら、食べごろだよ。なるべく 朝に、しゅうかくしよう。

かんさつ名人になろう！

見る
みは、何色かな？
みが　いくつあるかも数えてみよう。

さわる
みを　さわってみるとどんな　かんじが　するかな？

かぐ
みに　においは、あるかな？

はかる
みの　大きさやおもさは、どれくらいかな？

みを　さわると
つるつるしているよ。

ミニトマトを そだてよう！

さいばい10週め～

せが ぐんぐん のびたよ！

ミニトマトの せが のびて、しちゅうよりも高くなったら、くきの 上のぶぶんを 切りましょう。

くきの切りかた

くきの てっぺんの はっぱの少し下のところを はさみで 切ります。

てっぺんの はっぱ
ここで
切る

くきの てっぺんを切ると、えいようが下のほうの みに いくよ。そうすると、おいしいみが もっとたくさんとれるようになるんだ。

くきの切りかたを どうがで見てみよう！

くきを　切ったあとも
ミニトマトの　みは、
まだまだ　とれるん
だって！

かんさつ名人になろう！

見る
くきの　てっぺんは、どうなっているかな？　くきの太さは、どうなったかな？

さわる
くきの　上のほうと下のほうでは、何かちがいは　あるかな？

かぐ
はっぱや　くきは、どんな　においがするかな？

はかる
せは、どのくらい高くなったかな？

やさいのプロに　聞いてみよう！

ひりょうは　いつ　やれば　いいの？

　ミニトマトの　みが　できはじめたら、１か月に１回、ひりょうを　やりましょう。
　ひりょうを　ミニトマトのねもとから　少しはなれたところに　まきます。
　ひりょうを　やりすぎると、ミニトマトが弱ってしまいます。だから、ひりょうは、やりすぎないようにしましょう。

下のはっぱが　かれていたよ！　どうすれば　いいの？

　ミニトマトの下のほうの　はっぱが　かれていたら、はさみで　切って　すてましょう。
　かれたはっぱを　切らないで　そのままにすると、みに　えいようが　いかなくなってしまいます。また、ミニトマトが　びょうきに　なることもあります。

ミニトマトに 元気が ない！ どうすれば いいの？

元気なミニトマトのはっぱは、みどり色で　いきいきしています。はっぱに白いもようが　あるときは、びょうきかも　しれません。また、虫や鳥が　みやはっぱを　食べてしまうこともあります。

ミニトマトを　風通しのいいところで　そだてると、びょうきに強くなります。もし虫を　見つけたら、わりばしやテープで　とりましょう。みに　目の細かいネットをかけると、虫や鳥から　ミニトマトを　まもることが　できます。

びょうきの はっぱ

うどんこびょう　はっぱに白いこなのようなものが　ついていたら、そのはっぱを　とって　すてる。

あなが あいた み

虫に食べられて　あなが　あいたみは、とって　すてる。ネットをかけて、虫や鳥から　まもろう。

ミニトマトに つきやすい虫

アブラムシ

アザミウマ

小さい虫を　とるには、テープが　べんりだよ。こういうふうに、テープの、のりがついているほうを　外がわにして、ゆびにまきつけるんだ。

ネットのかけかた

キッチン（水切り）用のネットを　よういして、みが　できているえだをつつむ。そのあと、ネットの口を　せんたくばさみや　ひもで　とめる。こうすると、虫や鳥からみを　まもることが　できる。

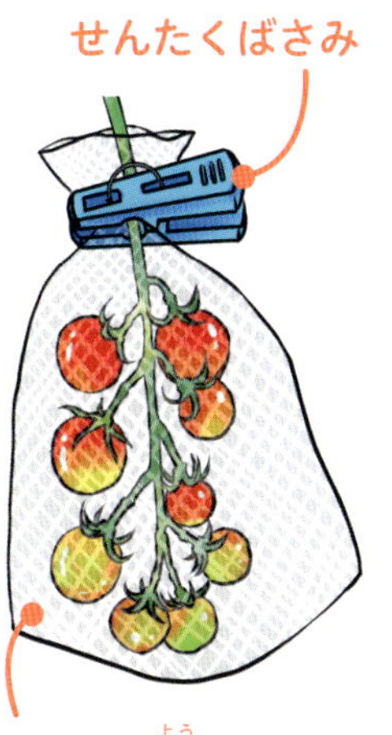
せんたくばさみ
キッチン用ネット

ミニトマトは どうそだつの?

春に ミニトマトのたねを まくと、めが 出てきます。
しばらくすると はっぱが ふえて、せが のびます。
そして 花が さいて、みが できます。
みの中には、たねが 入っていて、春にまくと、また めが 出てきます。

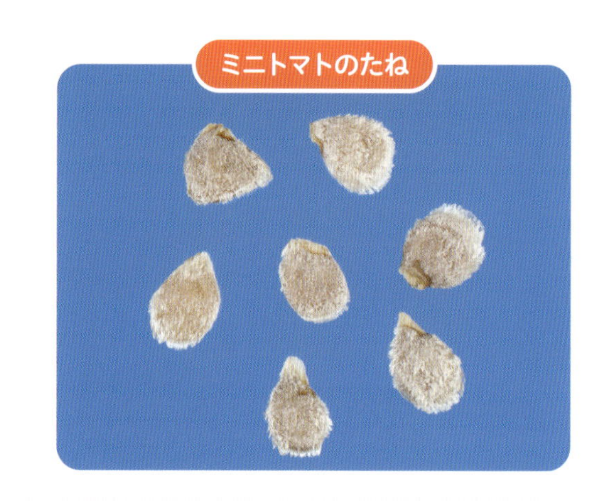
ミニトマトのたね

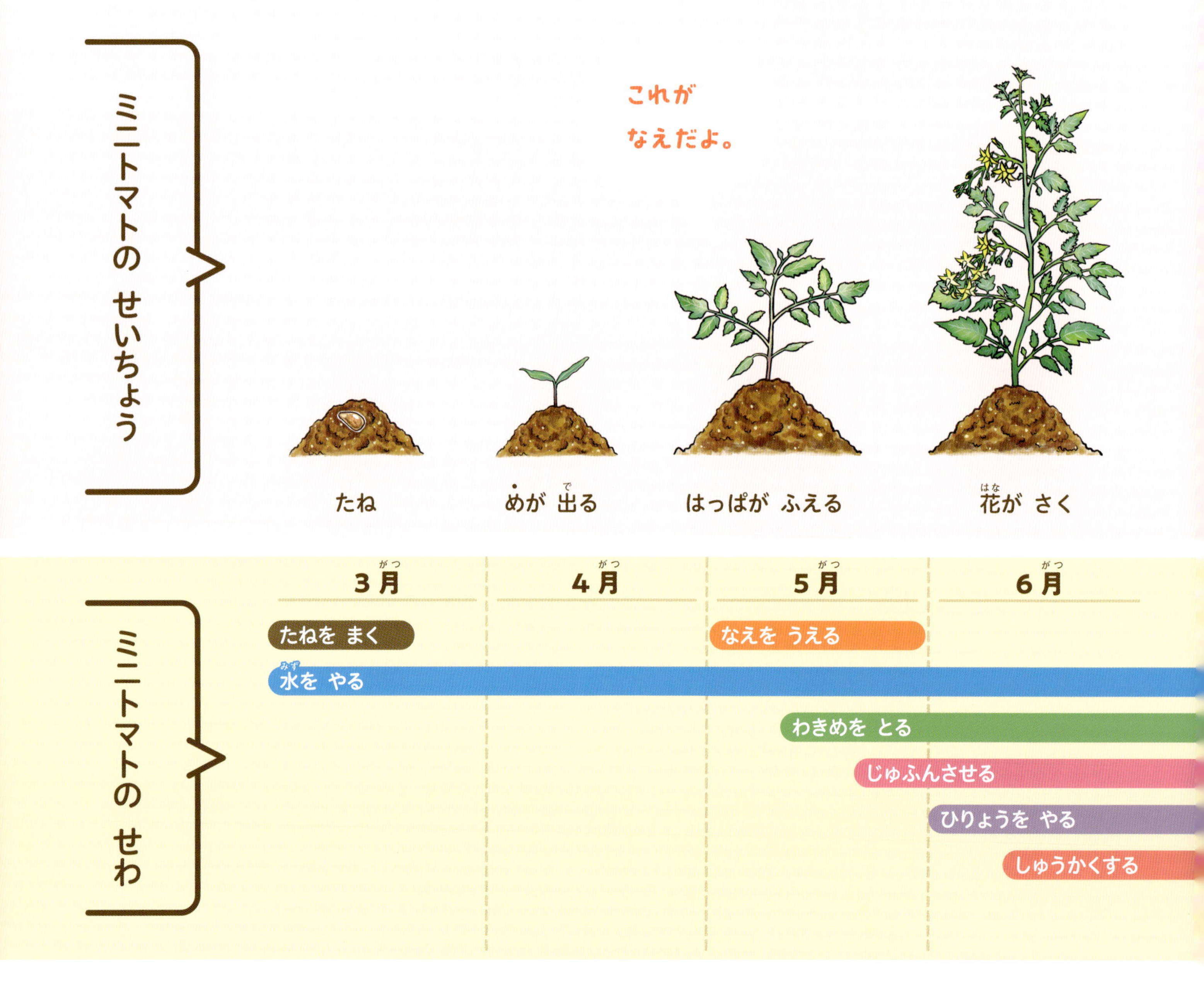
ミニトマトの せいちょう
これが
なえだよ。
たね
めが 出る
はっぱが ふえる
花が さく
ミニトマトの せわ
3月
4月
5月
6月
たねを まく
なえを うえる
水を やる
わきめを とる
じゅふんさせる
ひりょうを やる
しゅうかくする

体は　どうなっているの？

ミニトマトの体は、はっぱと　くきと、ねっこ（ね）で　できています。

はっぱは、そだつために　ひつような　えいようを　つくっています。くきとねっこは、体を　ささえています。ねっこは、土から　水や　えいようを　すうしごとも　しています。

花には、おしべと　めしべが　あって、おしべの花ふんが　めしべに　つくと、みが　できます。

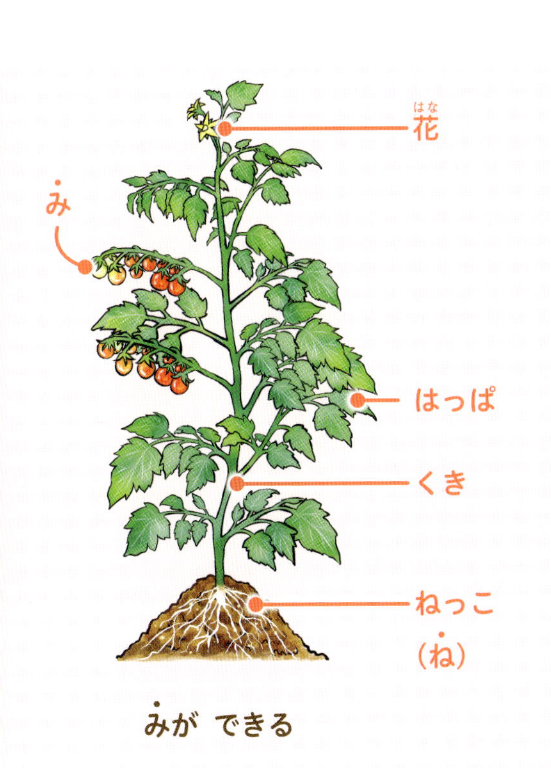
花
み
はっぱ
くき
ねっこ
（ね）

みが　できる

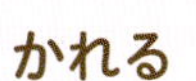

かれる

ミニトマトのはっぱ

いろいろな大きさの　はっぱが　たくさん　あつまって、1まいの　はっぱに　なって　います。

これが1まいのはっぱ

ミニトマトの花

花びら
この中に
おしべと
めしべが
入っている。

7月　8月　9月　10月

くきの　てっぺんを　切る

いつ、どんな　せわを　するかは、すんでいるところに　よって　ちがうから　気をつけてね。

かんさつ名人になろう！

タブレットを　つかってみよう！

1 しゃしんなら　見たままを　きろくできるよ！

　タブレットで　しゃしんを　とってみましょう。とりたいものからはなれると、ぜんたいを　うつすことが　できます。近づくと、とりたいものを　大きくうつすことが　できます。

　よこや　後ろ、いろいろな　ほうこうから　とってみましょう。

はなれたところから見た花

よこから見た花

とりたいものが、
がめんの　まん中に
くるようにすると、
じょうずに
とれるよ。

2 ふりかえりや　はっぴょうで　つかえるよ！

　タブレットは、とったしゃしんを　くらべて　ふりかえったり、しゃしんを　見せながら　話しあったりするときにも、べんりです。

　しゃしんと文字や音声を　組みあわせて、わかったことを　せいりしたり、みんなにはっぴょうしたりすることも　できます。

かんさつ名人になろう！

ぎもんを　かいけつしよう！

1 本などでしらべる

　としょかんで　やさいのそだてかたの本を　さがして、しらべてみましょう。

　インターネットの　けんさくで　しらべることも　できます。

　インターネットは、おとなの人と　いっしょに　つかいましょう。

はるにうえるやさい

2 じょうほうを　こうかんする

　クラスやグループで話しあって、やさいのせわで　こまっていることや　わかったことを　つたえあいましょう。

　教室や　ろうかに　そうだんコーナーを　つくって、知りたいことや、教えてあげたいことを　つたえあう　ほうほうもあります。

3 くわしい人に　インタビューしよう！

　のうかの人や　やさいのことに　くわしい人に　話を　聞いてみましょう。

1. 行く前に、聞きたいことを　かじょうがきで　せいりして　かいておく。
2. あいてが　いそがしくないかを　たしかめる。
3. さいしょに　あいさつを　して、自分の名前を　言う。
4. あいてを　見て、はっきりした声で　聞く。聞いたことは、メモしておく。
5. おわったら、おれいを　言う。

ミニトマトのことを

ミニトマトを　そだてて　かんじたことや　わかったことを
みんなに　つたえましょう。

おりたたみ絵本(えほん)を　つくろう

かんさつカードを　じゅんばんにならべて　はると、おりたたみ絵本(えほん)になります。

ひょうし

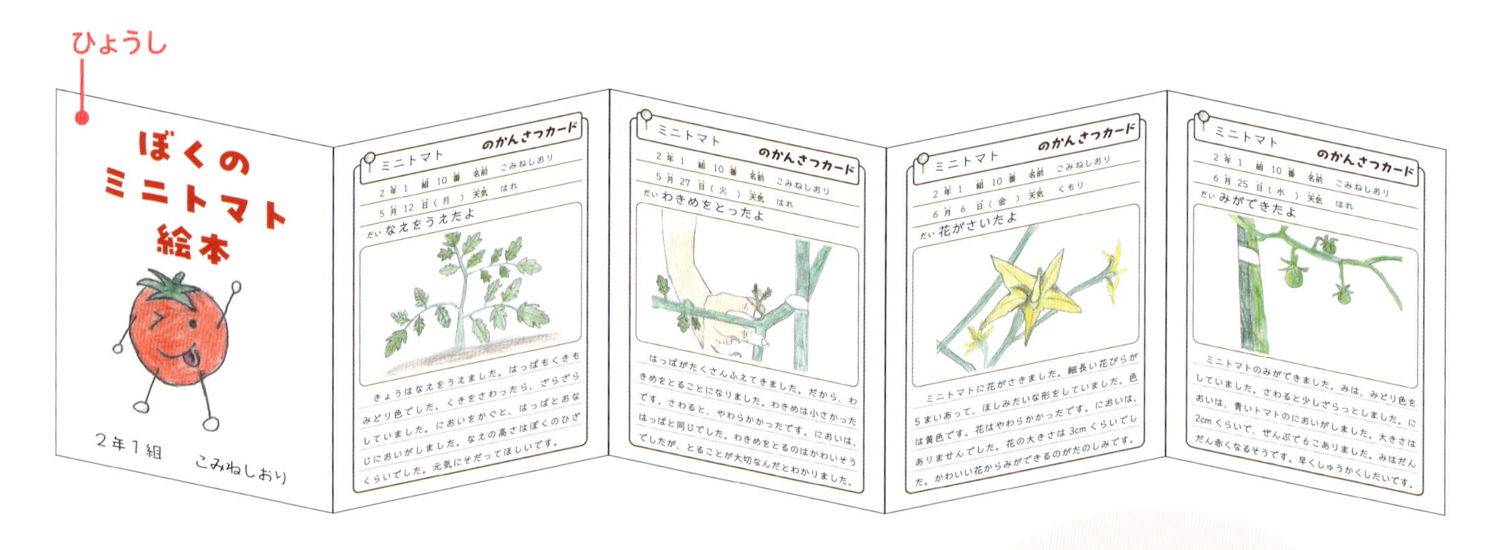

ぼくの
ミニトマト
絵本
2年1組　こみねしおり
ミニトマト　のかんさつカード
2年 1 組 10 番 名前 こみねしおり
5 月 12 日（月）天気 はれ
だい なえをうえたよ
きょうはなえをうえました。はっぱもくきもみどり色でした。くきをさわったら、ざらざらしていました。においをかぐと、はっぱとおなじにおいがしました。なえの高さはぼくのひざくらいでした。元気にそだってほしいです。
ミニトマト　のかんさつカード
2年 1 組 10 番 名前 こみねしおり
5 月 27 日（火）天気 はれ
だい わきめをとったよ
はっぱがたくさんふえてきました。だから、わきめをとることになりました。わきめは小さかったです。さわると、やわらかかったです。においは、はっぱと同じでした。わきめをとるのはかわいそうでしたが、とることが大切なんだとわかりました。
ミニトマト　のかんさつカード
2年 1 組 10 番 名前 こみねしおり
6 月 6 日（金）天気 くもり
だい 花がさいたよ
ミニトマトに花がさきました。細長い花びらが5まいあって、ほしみたいな形をしていました。色は黄色です。花はやわらかかったです。においは、ありませんでした。花の大きさは 3cm くらいでした。かわいい花からみができるのがたのしみです。
ミニトマト　のかんさつカード
2年 1 組 10 番 名前 こみねしおり
6 月 25 日（水）天気 はれ
だい みができたよ
ミニトマトのみができました。みは、みどり色をしていました。さわると少しざらっとしました。においは、青いトマトのにおいがしました。大きさは 2cm くらいで、ぜんぶで6こありました。みはだんだん赤くなるそうです。早くしゅうかくしたいです。

おりたたみ絵本(えほん)のつくりかた

❶ひょうしを　つくる。
❷かんさつカードを　日(ひ)づけのじゅんに　ならべる。
❸かんさつカードのうらがわを　セロハンテープでとめる。

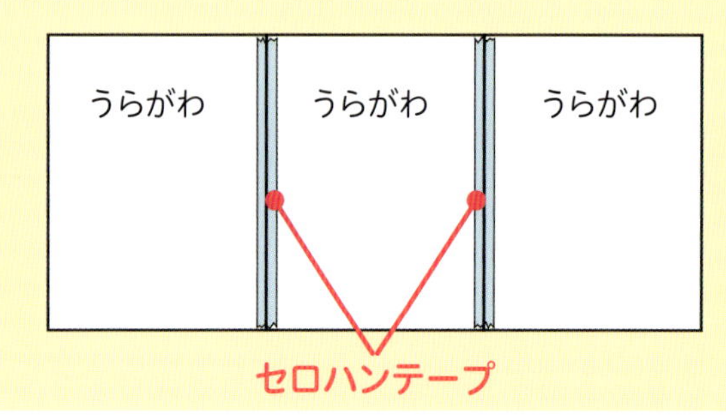

うらがわ
うらがわ
うらがわ
セロハンテープ

かんさつカードを
1まいずつ　あつがみに
はってから　つなげると、
じょうぶな絵本(えほん)に
なるんだって！

まとめよう

ほかの巻にも
いろいろな
まとめかたが
のっているよ。

ポスターを　つくろう

ポスターでは、いちばんつたえたいことを　大きな文字や絵、しゃしんであらわします。

キャッチコピー
つたえたいことを　みじかくまとめた文。大きな字で　目立つように　かこう。

小さくても　おいしさつまった
ミニトマト

絵やしゃしん
みんなの目を引くような　絵やしゃしんを　大きく入れよう。

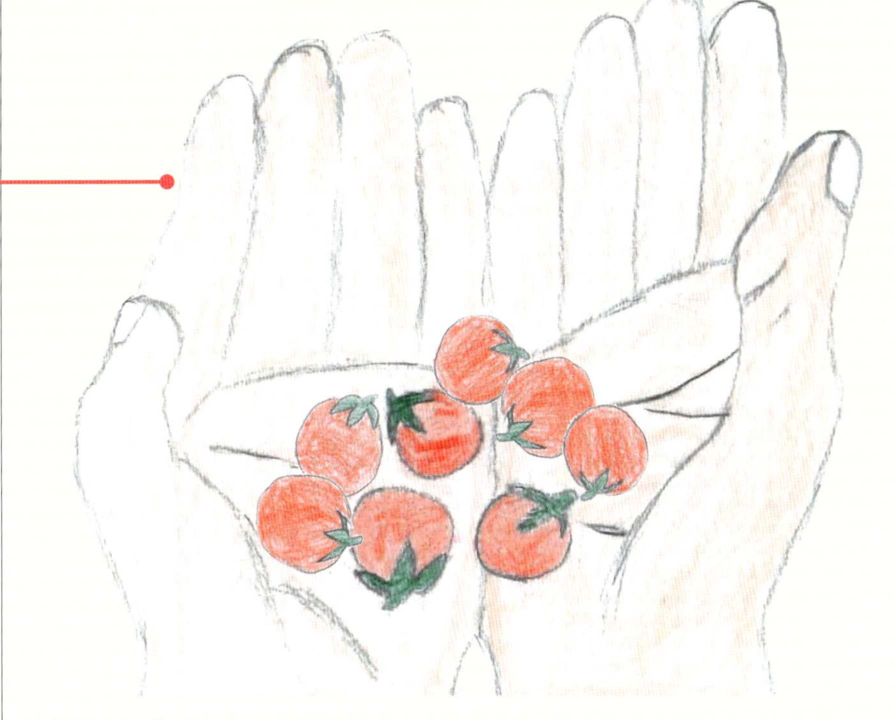

せつめい
せつめいの文は　できるだけ　みじかくかくようにしよう。

毎日、水をやったり、
わきめをいっぱいとったり、
せわをするのはたいへんでした。
でも、サラダに入れて食べたら
とてもおいしくて、
そだててよかったと思いました。

ミニトマトのミニちしき

トマトとミニトマト どうちがうの?

トマトとミニトマトのちがいは、大きさや　おもさです。3cmより　小さいものや　30グラムより　かるいものがミニトマトです。

はじめは、トマトしか売られていませんでしたが、40年くらい前から　ミニトマトも　たくさん食べられるようになりました。

トマトやミニトマトは どんなものに つかわれているの?

トマトやミニトマトから　いろいろな食品が　つくられています。

トマトケチャップ

トマトジュース

トマトのかんづめ

トマトを　水でにたもの。

ドライトマト

かんそうさせたトマト。

ミニトマトのあらいかたと ほぞんのしかた

ミニトマトは、きちんとあらって　れいぞうこに入れておけば、3週間くらい　ほぞんすることが　できます。

❶へたをとった　ミニトマトを　水で　よくあらう。

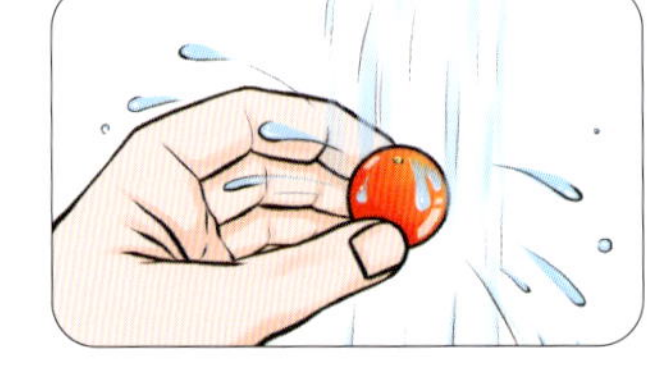

❷ふきんやペーパータオルで　ミニトマトのまわりの水分を　ふく。

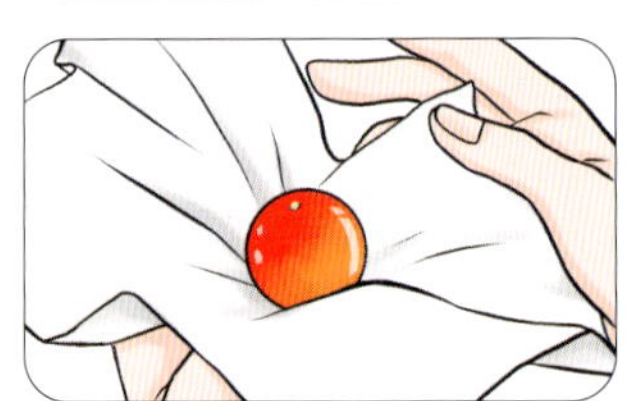

❸ふたのある入れものに　ペーパータオルを　しく。その上に　ミニトマトを　ならべて、ふたを　して　れいぞうこに　入れる。

さくいん

な

は

ま

わ

監修 河村（かわむら） 亮（りょう）

1976年、広島県生まれ。三和農園代表。1997年、大分臨床工学技士専門学校卒業後、臨床工学技士として病院に勤務していたが、趣味で家庭菜園を始めたことをきっかけに兼業農家に転身。2014年より、専業農家として静岡県焼津市で三和農園を営む。インターネットを通じて野菜を販売しているほか、YouTubeに数多くの農業動画をアップロードし、注目を集めている。

〈指導〉
加藤真奈美（学習院初等科教諭）
長代　大（学習院初等科教諭）

〈企画・編集〉
山岸都芳、佐藤美由紀（小峰書店）
常松心平、飯沼基子（303BOOKS）

〈装丁・本文デザイン〉
倉科明敏（T.デザイン室）

〈イラスト〉
すぎうら　あきら
はやみ　かな（303BOOKS）
山岸詩織

〈撮影〉
土屋貴章（303BOOKS）

〈撮影協力〉
山岸詩織
りん

〈写真〉
PIXTA（表紙・p.3・8・9・15・17・18・21・23・26・30）／アフロ（p.17・24）／アマナ（p.26）

そだてる・かんさつ・まとめる
めざせ！ やさい名人
1 ミニトマト

2025年4月6日　第1刷発行

監　修　河村　亮
発行者　小峰広一郎
発行所　株式会社 小峰書店
〒162-0066 東京都新宿区市谷台町4-15
TEL 03-3357-3521　FAX 03-3357-1027
https://www.komineshoten.co.jp/
印　刷　株式会社 精興社
製　本　株式会社 松岳社

NDC620　31p　29×23cm　ISBN978-4-338-37001-1

のかんさつカード

年　　組　　番　名前

月　　日（　　）天気

だい